LA VALISE DE
MONSIEUR BARDIN

MA PETITE VACHE A MAL AUX PATTES

Récents titres parus :

LA VALISE DE MONSIEUR BARDIN

un roman écrit par Pierre Filion

illustré par Stéphane Poulin

SOULIÈRES ÉDITEUR

case postale 36563 — 598, rue Victoria,
Saint-Lambert, Québec J4P 3S8

Soulières éditeur remercie le Conseil des Arts du Canada et la
SODEC de l'aide accordée à son programme de publication et
reconnaît l'aide financière du gouvernement du Canada par
l'entremise du Programme d'Aide au Développement de l'Industrie
de l'Édition (PADIÉ) pour ses activités d'édition.

Le Conseil des Arts
du Canada
DEPUIS 1957
The Canada Council
For the Arts
Since 1957
 Patrimoine
canadien
Canadian
Heritage

Dépôt légal: 2001
Bibliothèque nationale du Canada
Bibliothèque nationale du Québec

Données de catalogage avant publication (Canada)

Filion, Pierre

> Le valise de monsieur Bardin
> (Collection Ma petite vache a mal aux pattes; 26)
> Pour les jeunes de 6 à 9 ans.
>
> ISBN 2-922225-55-0
>
> I. Poulin, Stéphane. II. Titre. III. Collection.

PS8561.I53V34 2001   jC843'.54   C00-941850-4
PS9561.I53V34 2001
PZ23.F54Va 2001

Conception graphique de la couverture:
Annie Pencrec'h

Logo de la collection:
Caroline Merola

À la Denise

1

Une faim de loup

En sortant de l'école, j'ai pris une collation à la maison, avec Lucky-le-bon-chien-chien-qui-adore-se-faire-gratter-les-oreilles-longtemps-longtemps-longtemps.

Puis nous sommes allés courir derrière l'école. Mes amis sont venus nous rejoindre.

Il y avait Loïc, Élissa et Sierra, le trio des inséparables.

Ma cousine Anne-Sophie et sa voisine Valérie, surnommée par son père Zézette-numéro-trente-sept.

Le très spécial Mathieu Dubé et son chat Ti-Pet, un clown sur quatre pattes qui mange les souris avec du ketchup aux fruits.

Antoine D.-F., qui joue au hockey partout, en toute saison. Sa

mère dit qu'il dort avec ses patins.

Lucky s'en donnait à coeur joie. Il allait dans tous les sens, comme un papillon !

J'étais heureux de courir avec mes amis, après les émotions de ma première journée d'école. Quelle école et quel professeur ! Monsieur Bardin était vraiment le héros du jour.

Il était apparu dans la classe comme un magicien, en sortant de l'armoire. Et puis, il avait écrit au tableau en utilisant ses deux mains en même temps. À midi, il avait donné de son sang rare pour sauver sa première institutrice. Il avait l'air de tout savoir et de connaître chaque enfant de la classe. Il était comme nous, mais en grand format.

En revenant du champ, j'étais
en sueur et j'avais soif. J'ai bu un
grand verre d'eau et j'ai vite pris
mon bain. Puis je me suis rhabillé
en quatrième vitesse. Je ne vou-
lais surtout pas manquer l'arrivée

de monsieur Bardin. Mon père l'avait invité à souper pour sept heures.

Ma mère était en train de dresser la table. Elle avait sorti la vaisselle des grandes occasions et les ustensiles de mon arrière-grand-père Éphrem.

Il y avait des verres à eau et des verres à vin. De petites et de grandes cuillères. Des serviettes de table fleuries. Deux chandelles. Une petite musique de Mozart. C'était impressionnant.

Et, surtout, ça sentait bon. Lucky humait les odeurs de soupe et de confitures, à travers un parfum de dinde. Mes parents aiment bien faire de la dinde hors saison. «Avec ce gros oiseau délicieux, dit ma mère, c'est Noël toute l'année !»

Ma sœur était allée garder Mathieu et Ti-Pet. Mat est son client régulier, comme elle dit. Ma sœur a treize ans. C'est le bel âge !

J'étais heureux et j'avais une faim de loup.

2

Bardin la valise

Quand les oreilles de Lucky se sont dressées, j'ai su que monsieur Bardin arrivait. En regardant par la fenêtre du salon, nous l'avons vu descendre du taxi Mercedes. Il était sept heures pile à ma nouvelle montre.

Pas une seconde de retard ! Monsieur Bardin était la ponctualité même. Mon père dit que la ponctualité est la politesse des rois. Je ne comprends pas ce que cela signifie exactement, mais je m'efforce d'être toujours à l'heure. J'ai reçu une montre en cadeau pour le premier de l'an 2000. La batterie est garantie pour cent ans !

Monsieur Bardin avait apporté une petite valise bleue et un parapluie. Pourtant il faisait beau et chaud ! C'était encore l'été. Selon ma mère, on verrait peut-être des mouches à feu vers neuf heures. J'avais hâte.

Le chauffeur est descendu ouvrir la malle arrière de sa bagnole. La valise bleue d'une main et le parapluie de l'autre, monsieur Bardin gesticulait en riant. Il avait l'air d'une vedette de cinéma muet.

Lucky n'avait pas jappé. Il avait reconnu mon professeur

et il l'aimait déjà beaucoup.
Durant son après-midi à
l'école, Lucky-le-bon-chien-
chien s'était fait gratter les
oreilles deux fois par monsieur
Bardin. Deux longues fois de
trois minutes. Monsieur Bardin
savait comment se faire des
amis.

J'ai ouvert la porte et Lucky
s'est précipité dehors rejoindre
notre invité. Le chauffeur de

taxi a remis un immense bouquet de tournesols à monsieur Bardin. J'ai averti mes parents de l'arrivée de mon professeur pendant que le chauffeur démarrait.

Monsieur Bardin savait aussi se faire écouter. Il a demandé à Lucky de s'asseoir pour lui caresser la tête. Il avait déposé son parapluie et la petite valise

bleue sur le trottoir. Il tenait son gros bouquet de fleurs jaunes comme un trophée.

Monsieur Bardin et Lucky Luke avaient l'air de deux grands amis qui se retrouvent après un voyage autour du monde.

J'étais content, mais intrigué. Monsieur Bardin était bien arrivé, en chair et en os, malgré les péripéties de sa première journée d'école. Ce trois septembre avait été un grand jour pour lui : sa visite éclair à l'hôpital pour donner du sang, son voyage en ambulance, sa rencontre avec mon chien Lucky. Et il avait retenu sans difficulté le nom de mon ami mexicain, Cuauhtémoc. Avait-il le don des langues étrangères ?

J'étais intrigué par la si petite valise bleue. Rectangulaire et

plate comme une mallette de voyage. Elle ne pouvait contenir que de petites choses :

Des boules de gomme ?
Une paire de dés ?
Des vitamines C ?
Du sel de mer ?
Du poivre de cayenne ?
La photo de sa grand-mère ?
Deux abricots séchés ?
Des lentilles cornéennes ?

Un pot de *Tiger balm* ?
Une boussole ?
Sa brosse à dents ?
Un dentier de rechange ?
Son passeport ?
Un noeud papillon en satin ?
Un cadeau ?

Ah ! mystère de mystère de sac-à-puces de monsieur Bardin !

3

Les dents
de ma mère

Monsieur Bardin avait repris sa petite valise bleue et son parapluie. Lucky tournait autour de lui comme une mouche.

Ils s'amenaient vers le perron et je suis allé vers eux. Monsieur Bardin s'est arrêté soudain pour regarder notre maison. Il a penché son chapeau vers l'arrière de sa tête.

Les bras grands ouverts, il a d'abord regardé de gauche à droite, puis de droite à gauche.

En se tortillant le nez, il a regardé de haut en bas et de bas en haut. Puis en diagonale.

En écarquillant les yeux qui lui sortaient presque des lunettes, il a jeté un dernier coup d'oeil en forme de grand cercle. Il avait l'air de calculer la taille, la hauteur, la circonférence, la profondeur, la largeur, la couleur, la rondeur, en un mot le bonheur de notre maison.

— Bienvenue chez nous, monsieur Bardin. J'avais hâte que vous arriviez. Avez-vous faim ?

— Autant que toi. J'ai une faim de loup.

Comment avait-il deviné que j'avais moi aussi une faim de

loup ? Lisait-il dans mes pensées ?

— Mes parents ont bien hâte de faire votre connaissance.

Monsieur Bardin a donné les tournesols à ma mère qui n'en revenait pas : douze fleurs d'un mètre de haut !

Pendant qu'il commençait à jaser avec mes parents, je me suis occupé de sa petite valise bleue et de son parapluie.

Je les ai déposés près de sa chaise, dans la salle à manger.

Ah! mystère de mystère de sac-à-puces, qu'y avait-il donc dans cette valise ?

Je suis allé au jardin, où ils étaient en train d'admirer les dernières roses de septembre. Mes parents avaient l'air d'aimer mon professeur. Il avait plein de surprises pour eux.

— Savez-vous, madame, qu'un bon rosier a toujours des pucerons ? On dirait que les pucerons embellissent les roses. Parole de Bardin !

Ma mère riait de toutes ses dents. Ma sœur et elle prennent tellement soin de leurs dents ! Elles disent que leur bouche vaut une fortuuuuuuune !

Je pensais aux nombreuses heures que ma mère mettait à

épucer ses trois rosiers grim-
pants. Chaque été, elle faisait
la guerre aux pauvres pucerons.

— Bien sûr, pas n'importe
quels pucerons ! Des pucerons
d'élevage, importés de Nou-
velle-Calédonie !

Ils riaient déjà comme des fous, et monsieur Bardin n'avait pas encore dit vingt phrases. Ils se sont assis sur la terrasse pour prendre l'apéritif. Je me suis étendu dans le hamac. Les apéritifs durent toujours trop longtemps.

Et là, j'en ai appris de bonnes ! Des vertes et des pas mûres, comme disait mon père.

Je ne savais pas encore que la vie était ainsi tricotée. Et que mes parents étaient d'aussi bons tricoteurs.

— Quelle belle soirée en perspective, hein Lucky !

Ma mère avait mis les tournesols dans le tonneau qui sert à recueillir l'eau de pluie.

Ça sentait la rose et la dinde, j'étais de plus en plus affamé.

4

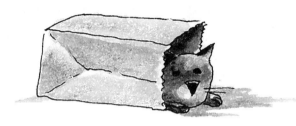

Le chat sort du sac

Lucky était couché aux pieds de monsieur Bardin. Le ciel commençait à rosir. Je me demandais si Antoine D.-F. avait gardé ses patins à roues alignées en prenant son bain.

Mes parents avaient l'air de bien connaître mon professeur. Ils parlaient de son école, de l'autre côté de l'Atlantique, comme s'ils y étaient allés. Le chat a fini par sortir du sac. Du sac de ma mère, évidemment.

Monsieur Bardin était venu à mon école dans le cadre d'un échange de professeurs. Et l'institutrice qu'il remplaçait était la meilleure amie de ma mère.

— Hélène nous a écrit en arrivant chez vous. Elle nous a beaucoup parlé de votre école. Et de votre méthode progressive ! Vous avez beaucoup de succès là-bas. Nos enfants sont bien chanceux de vous avoir cette année.

— La chance va toujours dans les deux sens, chère madame.

Il disait chère madame en étirant un peu le madaaaaame. Ma mère a souri, l'émail de ses dents brillait comme un sou neuf.

— Je suis aussi chanceux qu'eux, chère madaaaaaaame. La chance que j'ai, chaque mois de septembre, c'est d'avoir des élèves qui entrent en première année. J'enseigne toujours en première année. Je me suis aperçu qu'à la longue l'école finit par déformer l'intelligence des enfants.

On met trop de choses inutiles dans leur cerveau. Mais en première année, après les jeux instructifs de la maternelle, leur intelligence est à son maximum.

— À la maternelle, ils jouent à «comment apprendre.»

— Avec moi, chère madaaame, ils apprennent à «comment jouer.»

Ils sont tous partis à rire. Voilà le genre de propos que mes parents appréciaient. Ils

m'avaient eux aussi appris à lire et à écrire en jouant, avant d'entrer en maternelle, sans que je m'en aperçoive.

Monsieur Bardin s'éventait avec son chapeau. Lucky était maintenant couché sur les pieds de mon professeur et se laissait flatter. Bon-chien-chien.

— J'ai une classe extraordinaire, chère madaaaaame. Tous les enfants parlent français et, pourtant, ils viennent du monde entier. Il y a deux Chinois nés à Brossard, un Mexicain souriant, un Haïtien né au Saguenay, un Montagnais perdu en ville, une Saskatchewanaise, plusieurs Montréalais qui roulent leurs rrrrr,

un Acadien qui sent le homard,
il y a même un petit Français
qui parle pointu-pointu-pointu

comme s'il avait avalé une flûte
traversière... J'ai hâte de les re-
trouver demain. Les yeux des
enfants sont si merveilleux,

même quand ils dorment. On va s'amuser comme des singes.

Mon père a sifflé deux notes et Lucky s'est assis doucement en faisant le beau : sans difficulté, il s'est mis à applaudir

avec ses deux pattes avant, la langue bien pendante. Bon chien-chien. Les yeux de monsieur Bardin se sont illuminés !

— Moi, j'ai aimé l'école parce que ma première institutrice, Marguerite Bouley, était absolument extraordinaire. Elle nous apprenait à cuisiner en classe. C'était magnifique. J'ai fait cuire ma première omelette à l'école. C'était une omelette aux sardines. J'ai aussi appris à faire un croque-monsieur aux cerises, de la confiture au crabe des neiges, et du yogourt à la morue.

Je ne pouvais m'imaginer en train de manger une omelette aux sardines.

— Hélène dit aussi que vous ne faites rien comme les autres professeurs.

— Un professeur est un amuseur public, monsieur. Je dois donner un bon spectacle tous les jours. L'école est un cirque, il faut s'en-traî-ner.

Mon père s'est tourné vers moi et m'a souri. Le cirque, c'est un peu son dada. Il s'est levé doucement.

— Monsieur Bardin, puis-je vous *en-traî-ner* vers la salle à manger ?

J'étais mort de faim, mais j'en savais beaucoup plus sur monsieur Bardin. Et sur l'école. Et sur l'intelligence, cette affaire qui marche toute seule et qui ne s'arrête jamais, un peu comme le coeur.

Lucky s'est levé en s'étirant de tout son long. Monsieur Bardin a fait de même de tout son long et nous sommes entrés dans la maison en rigolant. Mon professeur de gomme baloune s'est gratté le ventre comme Lucky. Avait-il attrapé ses puces ?

5

Des mouches à...
miel

Avant de s'asseoir, monsieur
Bardin a pris sa petite valise
bleue et l'a collée contre son
oreille, en l'agitant un peu. Il a
souri et l'a remise derrière sa
chaise. Il a fait un clin d'œil à
mon père :

— Hélène m'a appris que
vous étiez une sorte de domp-
teur d'animaux ?

— C'est-à-dire que je dresse certaines bêtes pour les besoins du cinéma et de la télévision.

— For-mi-da-ble ! Vous êtes comme moi, une sorte de professeur de première année ! Je sens que nous allons échanger nos secrets !

— J'ai dressé des chiens colleys, des singes, un boa, une chèvre, des lapins, des chats, des perruches, des perroquets d'Égypte, un hareng de Gaspé, un caribou du Labrador, une tarentule... Et bien d'autres bêtes que l'on croit impossibles à dresser.

Il se mit à énoncer les animaux et les bibittes rares qu'il avait eu à dresser :

Douze moutons

Onze kangourous

Dix ouistitis
Neuf poneys
Huit vaches sacrées
Sept poules
Six oies
Cinq pintades
Quatre ratons laveurs
Trois chevreuils
Deux lamas roux
Une autruche
Deux cochons d'Inde
Trois geais bleus
Quatre engoulevents
Cinq tourterelles
Six coqs
Sept écureuils noirs

Huit souris vertes
Neuf hamsters
Dix bébés alligators
Onze rats d'égout
Douze mouches...

— Douze mouches ? Comment avez-vous fait ?

— Avec du miel, tout simplement. Chaque fois que je mettais une fine goutte de miel sur mon doigt, elles venaient se poser. C'était pour un gros plan dans un aéroport de Floride. Un film américain à très fort budget.

— Vous êtes un excellent professeur. Votre chien Lucky obéit au doigt et à l'oeil. Dans la classe, cet après-midi, il m'écoutait autant que les élèves. J'avais l'impression qu'il savait lire et écrire.

— Vous dites vrai, cher monsieur.

Sur cinq claquements de doigts de mon père, Lucky s'est levé d'un bond et s'est dirigé vers la fenêtre. Avec son museau, sans hésiter un instant, il a écrit les cinq lettres de son nom.

Monsieur Bardin a applaudi à son tour. Bravo !

Lucky s'est recouché aux pieds de mon père en tirant sur les lacets de ses souliers. Méchant-bon-chien-chien.

Monsieur Bardin continuait à nous parler de son école de rêve. Cela prenait des airs de basse-cour.

— L'année dernière, j'avais un couple de lapins dans ma classe : La douce Martine et le beau Dominique. Grâce à eux, nous avons commencé à apprendre la table de multiplication. Tout le monde sait que les lapins se multiplient comme des maringouins.

Ma mère apportait enfin la dinde :

— Votre volaille est comme votre maison: accueillante, dorée à souhait et heureuse.

J'avais tellement faim que je n'avais plus faim.

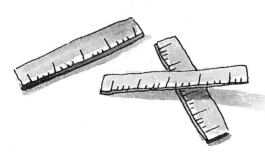

6

La grande demande

Le repas s'est déroulé dans une atmosphère de carnaval. Les hoooo ! les haaaa ! et les hiiii ! fusaient sans arrêt. Monsieur Bardin continuait à inventer des règles pédagogiques pour l'école du lendemain. La locomotive de son cerveau roulait à fond de train.

— Règle cent vingt-deux : les

enfants sont plus intelligents que le professeur. Règle vingt-deux-cents : il faut apprendre qu'il faut apprendre qu'il faut apprendre sans fin. Règle mille mille : l'école est un lieu de plaisir. Règle mille millions de mille sabords : la vie est l'école de la vie est l'école de la vie est l'école de la vie est l'école de la vie. Règle cinquante-cinquante : l'intelligence est un muscle qu'il faut développer tous les jours. Règle numéro 411 : école un jour, école toujours ! Règle 511 : chaque enfant possède la clé de son bonheur. Règle 911 : quand on a envie de faire pipi, il faut y aller d'urgence.

Soudain, monsieur Bardin s'est arrêté tout sec. Nous nous attendions à ce qu'il sorte une nouvelle règle au numéro impossible. Il s'est penché pour ramasser son parapluie. Il en a dévissé la poignée et en a retiré un petit rouleau de papier. Il l'a remis à ma mère.

C'était une ancienne photographie, sur laquelle on le voyait avec son institutrice, devant son école. Il avait mon âge et portait des culottes courtes. Un pigeon s'était posé sur sa tête.

Au dos de la photographie, il avait écrit quelques mots en grosses lettres rondes. Ma mère s'est empressée de nous les lire en souriant de ses belles dents: «Marguerite Bouley, mon pigeon Marcel et moi. Vive l'école !»

J'écoutais ce drôle de professeur en me disant que monsieur Bardin allait me faire passer une formidable première année. Il aimait tant l'école que je ne pouvais faire autrement que l'aimer moi aussi.

Mais, au fond de moi, dans mon petit cœur de six ans, je n'avais qu'une question à lui poser : que contenait donc sa petite valise bleue ? J'avais tellement envie de le lui demander que j'ai suivi la règle 911 : je suis allé d'urgence aux toilettes pour me calmer.

À mon retour, monsieur Bardin racontait à mon père comment il avait fait depuis trente ans la culture du trèfle à quatre feuilles.

— La chance, cher monsieur, il faut la cultiver. On dit que le trèfle à quatre feuilles porte chance. À la fin de l'année scolaire, chaque enfant de ma classe emporte avec lui le plant qu'il a lui-même cultivé.

Monsieur Bardin m'avait-il apporté un petit plan de trèfles à quatre feuilles dans sa valise ?

7

Sésame, ouvre-toi

Nous étions rendus au dessert, mon plat favori. Ma mère m'a demandé d'éteindre les lumières. Monsieur Bardin s'est mis à souffler comme s'il y avait du mystère dans l'air. Houuue Houuuuee...

Lucky s'est levé pour l'imiter. Houououououoou! La maison avait l'air hantée.

Ma mère est entrée dans la

salle à manger avec un gros gâteau d'anniversaire. Elle l'a déposé devant monsieur Bardin en chantant : «Jo-yeux an-ni-ver-saire...» Le gâteau était couvert de chandelles bleu-blanc-rouge. Les yeux de monsieur Bardin luisaient comme des mouches à feu. Il était neuf heures.

— Bonne fête, monsieur Bardin ! Ma grande amie Hélène nous a suggéré de vous inviter pour votre anniversaire,

qui avait lieu hier, le deux septembre. Les grands anniversai-
res se fêtent toujours le lendemain. Nous avons réussi à vous
surprendre.

Mes parents ne m'avaient
pas dit que nous allions fêter
l'anniversaire de monsieur
Bardin. La surprise était dou-
ble : pour lui et pour moi. Il y a
des secrets qu'il vaut mieux ne
pas savoir avant le temps.

— Je vous remercie de tout
mon coeur, chère madaaaame.
Je ne m'attendais pas à fêter
mon anniversaire en aussi
agréable compagnie. Un excellent repas avec de nouveaux
amis est un des plus grands
plaisirs de la vie. J'ai des pa-
pillons dans la tête. Merci de
tous les ventricules de mon
coeur.

Je ne pouvais plus me retenir. Monsieur Bardin m'a regardé avant de prendre sa petite valise bleue. Il l'a posée doucement sur la table. Les chandelles illuminaient la salle à manger.

Sur un mot de mon père, Lucky est allé, d'un petit coup de museau, arrêter la musique

de Mozart. C'était un moment magique.

Monsieur Bardin a regardé mon père en lui faisant signe de s'approcher.

— Entre professeurs, j'ai un petit service à vous demander. J'ai, dans cette valise, une petite famille que j'ai amenée de Bourges et qui aimerait bien apprendre à danser le tango. Cette famille, je l'aime comme on aime ses enfants.

Monsieur Bardin a lentement ouvert sa petite valise. Dans

laquelle il y avait une autre petite valise. Dans laquelle il y

avait encore une plus petite valise. Dans laquelle il y avait

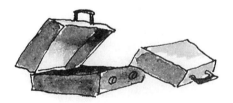

une minuscule valise. Dans laquelle il y avait une valise très très miniature.

Quand il a ouvert la valise très très miniature, nous avons tous retenu notre souffle. C'est alors que j'ai aperçu une famille de treize puces en grande forme. Elles sautaient les unes sur les autres en s'amusant comme des acrobates.

Tout le monde regardait mon père.

— À Noël, monsieur Bardin, toute la petite famille pourra danser le tango, je vous le promets. Une minute de cours chaque jour, avec l'aide de Lucky.

Mon père a sifflé un petit air de tango et ma mère s'est levée pour esquisser quelques pas de danse avec Lucky. Bon-tango-chien-chien ! C'était fou-fou-fou. Monsieur Bardin roucoulait de rire.

Monsieur Bardin a refermé la valise très très miniature, qu'il a mise dans la valise minuscule, qu'il a mise dans la plus petite valise, qu'il a mise dans l'autre petite valise, qu'il a mise dans la petite valise bleue.

En demandant l'aide de Lucky, monsieur Bardin a soufflé les chandelles en faisant un voeu, les yeux fermés. Mes parents ont applaudi.

Je ne savais plus si je rêvais ou si j'étais encore éveillé. Il me semblait que je voyais des puces partout dans ma tête. La fumée des bougies m'avait étourdi.

Il se faisait tard et la journée avait été fatigante. Je suis allé me coucher sans manger de dessert. Je me suis endormi en écoutant rire monsieur Bardin. Il me semblait que son bon rire ne cesserait jamais. Je l'ai peut-être entendu dire plus tard, avant de m'endormir tout à fait...

— Chère madaaaame, cette soirée est le plus bel anniversaire de toute ma vie. Mes puces et moi, nous sommes au paradis. Je vous quitte sur la règle vingt-quatre zéro : bonsoir, bonne nuit, beaux rêves, pas de puces, pas de punaises...

Pierre Filion

Entre la lecture de deux livres épuisés et de trois manuscrits prometteurs, Pierre Filion (qui est aussi éditeur) aime beaucoup faire cuire de la dinde, surtout quand ses enfants s'y attendent le moins. C'est l'occasion de fêter, en toute saison, et d'inviter des amis à la maison. Il éprouve pour ce gros volatile une affection que tout amateur de farce partage naturellement.

On dit que Pierre Filion mijote la prochaine histoire de monsieur Bardin, qui a décidé, après ce souper d'anniversaire mémorable, de fêter Noël dans sa classe. Joyeux Bardin, va !

Stéphane Poulin

Hmmhmmmhmmmm mmmmmmmmmmmm mmmmmmmmmmm mmmmmmmmmmm mmmmmmmmmmmm mmmmmmmmmmm mmmmmmmmmmmmmmmmmmm mmmmmmmmmmmmmmmmmmmm mmmmmmmmmmmmmmmmmmmm mmmmmmmmmmm ! J'adore illustrer les livres de Soulières éditeur !

Achevé d'imprimer
sur les presses
de AGMV-Marquis
à Longueuil
en janvier 2001